Hercule contre Cerbère

Premières lectures

* Je commence à lire tout seul.
Une vraie intrigue, en peu de mots, pour accompagner
les balbutiements en lecture.

** Je lis tout seul.
Une intrigue découpée en chapitres pour pouvoir faire
des pauses dans un texte plus long.

*** Je suis fier de lire.
De vrais petits romans, nourris de vocabulaire et de
structures langagières plus élaborées.

Hélène Kérillis a plongé dans la mythologie
grecque dès l'enfance et ne cesse de la revisiter. Elle
aime aussi l'art et les voyages, la lecture et l'écriture,
qui donnent de si belles couleurs à la vie

Grégoire Vallancien dessine depuis toujours,
il aime beaucoup ça. Il aime aussi Paris et la
Méditerranée, les romans policiers et la mythologie.
Dessiner des histoires et surtout... en lire à ses
enfants!

Responsable de la collection :
Anne-Sophie Dreyfus
Direction artistique, création graphique
et réalisation : DOUBLE, Paris
© Hatier, 2012, Paris
ISBN : 978-2-218-97032-0
ISSN : 2100-2843

PAPIER À BASE DE
FIBRES CERTIFIÉES

 s'engage pour
l'environnement en réduisant
l'empreinte carbone de ses livres.
Celle de cet exemplaire est de :
250 g éq. CO_2
Rendez-vous sur
www.hatier-durable.fr

Achevé d'imprimer par Clerc à Saint-Amand-Montrond - France
Dépôt légal : 97032 0 / 03 - Avril 2014

MA PREMIÈRE
MYTHOLOGIE

Hercule
contre Cerbère

texte d'Homère adapté par Hélène Kérillis
illustré par Grégoire Vallancien

HATIER
POCHE

Hercule, l'homme
le plus fort du monde.

Cerbère, le chien à trois têtes,
monstrueux gardien des Enfers.

Hadès et **Corè**,
le roi et la reine des Enfers.

CHAPITRE 1

L'ordre du roi

Hercule est l'homme le plus fort du
monde. Il a combattu des dizaines
d'ennemis et de monstres, et il a
toujours gagné. Tout le monde l'admire.
Sauf le roi. Il est jaloux.
– Hercule par-ci, Hercule par-là…
C'est agaçant, à la fin!

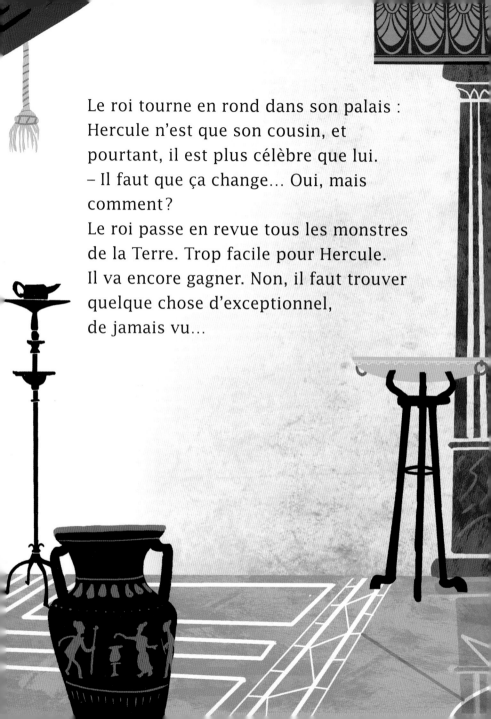

Le roi tourne en rond dans son palais :
Hercule n'est que son cousin, et
pourtant, il est plus célèbre que lui.
– Il faut que ça change… Oui, mais
comment ?
Le roi passe en revue tous les monstres
de la Terre. Trop facile pour Hercule.
Il va encore gagner. Non, il faut trouver
quelque chose d'exceptionnel,
de jamais vu…

Soudain, le roi a une idée :
– Je vais l'envoyer aux Enfers! C'est le
pays des morts. On n'en revient jamais!
Car un monstre terrifiant, Cerbère,
garde l'entrée des Enfers.
C'est un chien géant à trois têtes, plus
monstrueuses les unes que les autres,
avec des serpents autour. Ses mâchoires
puissantes peuvent tout déchiqueter.
Ainsi, en montrant les dents, il
empêche les morts de retourner sur
Terre pour tourmenter les vivants.

Le roi est très content de son idée.
Il fait venir Hercule et lui ordonne :
– Ramène-moi Cerbère, le chien à trois
têtes !
Hercule tremble des pieds à la tête :
affronter Cerbère ? C'est de la folie !
Son cousin veut l'envoyer à la mort !
Hercule entre en fureur.

Comme chaque fois qu'il est en colère,
sa propre violence le rend fou. Il lève
les poings pour frapper le roi.
Les gardes interviennent. Hercule
s'enfuit en hurlant :
– Je reviendrai!

CHAPITRE 2
Le pays des morts

Pendant des jours et des jours, Hercule marche à travers un désert sombre et froid. Il arrive enfin au bord d'un fleuve aux eaux noires : c'est la frontière entre le monde des vivants et le monde des morts. Hercule osera-t-il traverser ?

Il hésite. Il voit peut-être la lumière
du jour pour la dernière fois. Mais il
ne veut pas s'avouer vaincu.
Un vieil homme maigre comme un
squelette arrive dans sa barque. Hercule
reconnaît le passeur des Enfers. Il lui
fait signe et monte à bord.

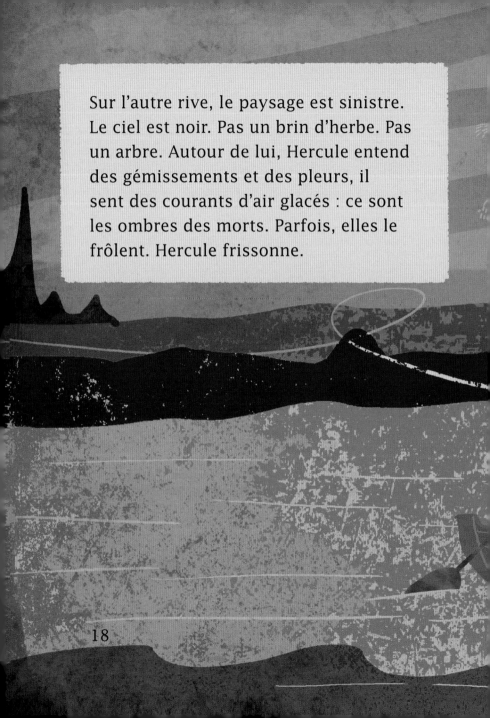

Sur l'autre rive, le paysage est sinistre. Le ciel est noir. Pas un brin d'herbe. Pas un arbre. Autour de lui, Hercule entend des gémissements et des pleurs, il sent des courants d'air glacés : ce sont les ombres des morts. Parfois, elles le frôlent. Hercule frissonne.

19

Aux Enfers, règnent Hadès et son épouse Corè. Avant de s'attaquer à Cerbère, Hercule doit obtenir leur autorisation. D'une voix profonde, le dieu des Enfers lui demande :

– Pourquoi es-tu descendu tout vivant chez les morts ?

– Pour emmener Cerbère ! C'est un ordre du roi mon cousin.

– Je suis un roi plus puissant que lui, déclare Hadès en secouant la tête. J'ai besoin de Cerbère ici pour garder les morts. Demande-moi autre chose.

Alors Hercule parle de lui. Il a du mal
à retenir ses poings quand il est en
colère. Il ne veut plus être l'esclave
de sa violence.
La reine Corè est émue : elle a devant
elle l'homme le plus fort du monde.
Et cet homme ne veut pas abuser de
sa force. Il veut être sûr de se dominer.
C'est cela, un véritable héros. Alors,
elle parle à l'oreille de son époux.
Hadès approuve.

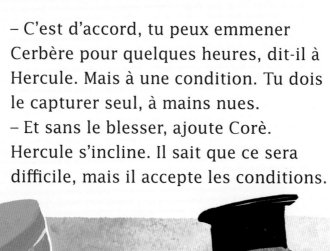

– C'est d'accord, tu peux emmener
Cerbère pour quelques heures, dit-il à
Hercule. Mais à une condition. Tu dois
le capturer seul, à mains nues.
– Et sans le blesser, ajoute Corè.
Hercule s'incline. Il sait que ce sera
difficile, mais il accepte les conditions.

CHAPITRE 3
Le chien à trois têtes

Hercule part à la recherche de Cerbère,
le chien à trois têtes. Il entend bientôt
un grondement de tonnerre. Soudain,
une énorme masse de chair et de
muscles apparaît. C'est le monstre!
Ses yeux de braise trouent la nuit.
Sa crinière de serpents siffle. Ses trois
gueules immenses aboient à faire
trembler le sol.

Hercule rassemble ses forces.
Il attaque. Le monstre bondit de côté
et, de suite, attaque à son tour. Hercule
le repousse. Les deux adversaires se
mesurent du regard. Jusqu'où sont-ils
prêts à aller pour gagner?

Hercule s'élance à nouveau. Il saisit le
chien et le plaque contre lui. Ses bras
puissants compriment les poumons de
la bête. Alors les crocs du monstre se
plantent dans son corps et les serpents
le piquent. C'est une douleur horrible,
insupportable. Hercule sent la violence
monter en lui. Ses poings sont prêts
à tuer. Mais il se souvient : «Sans le
blesser», a dit la reine des Enfers.

D'ailleurs Cerbère est près d'étouffer.
Il lance à Hercule un regard désespéré :
– Pitié, pitié, semblent dire ses yeux.
Hercule comprend que le chien n'a
jamais voulu sa mort. Ce combat était
une épreuve pour qu'il apprenne à se
dominer.

31

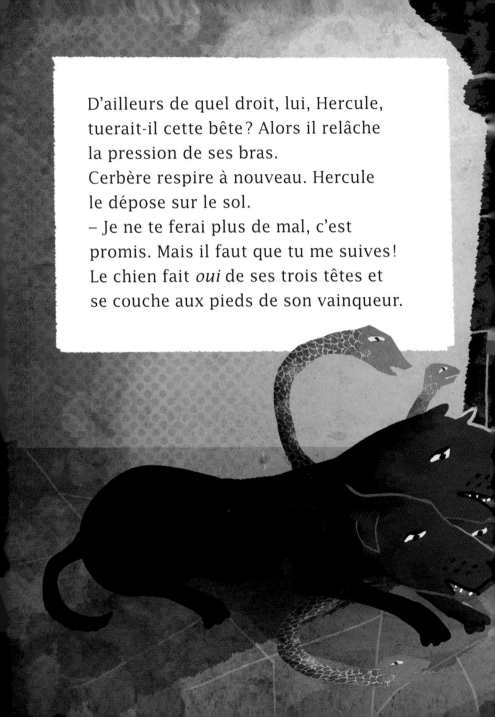

D'ailleurs de quel droit, lui, Hercule,
tuerait-il cette bête? Alors il relâche
la pression de ses bras.
Cerbère respire à nouveau. Hercule
le dépose sur le sol.
– Je ne te ferai plus de mal, c'est
promis. Mais il faut que tu me suives!
Le chien fait *oui* de ses trois têtes et
se couche aux pieds de son vainqueur.

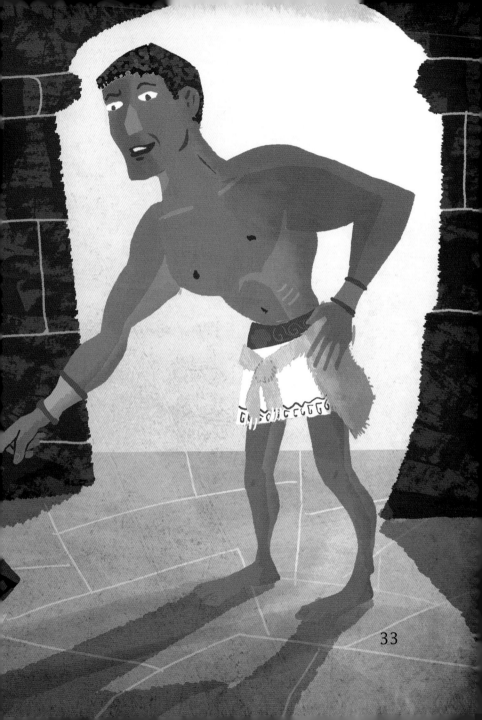

33

CHAPITRE 4
Libres!

Hercule se retrouve à la surface de la
Terre. Il respire de tous ses poumons :
quel bonheur de retrouver le soleil
et le monde des vivants!
Cerbère, lui, est terrifié : la lumière
du jour blesse ses yeux. Il gémit.
Il crache. Sa bave fait pousser
des herbes empoisonnées.

Sur le passage d'Hercule, c'est la panique quand on voit le chien à trois têtes. Des messagers courent prévenir le roi :
– Hercule est de retour !
Hercule est de retour !

– Ce n'est pas possible! Il a réussi
à sortir des Enfers?
– Oui! Et il ramène Cerbère!
– Le... Le chien à trois... Au...
Au secours! s'écrie le roi.

Vite! Il court se réfugier dans une jarre de terre cuite. Vite! Il met un gros couvercle. Vite! Il ferme les yeux.
Il claque des dents tellement il a peur!

Hercule arrive au palais du roi.
Les portes sont fermées.
– Holà mon cousin! Je te ramène ce
que tu as demandé!
Le roi se fait tout petit dans sa jarre.
Il n'ose même plus respirer.

41

C'est un garde qui vient dire à Hercule :
– C'est bon, tu as réalisé un grand
exploit. Maintenant, va-t'en le plus loin
possible !
– Et Cerbère ? Qu'est-ce que j'en fais ?
– Débrouille-toi ! Qu'on ne le revoie
plus jamais ici !

Hercule se tourne vers le chien :
– Je sais ce que tu veux : retourner chez
toi, pas vrai?
– Waouhouhou! disent les trois gueules
du chien.
– Vas-y, tu es libre! Cerbère bondit.
De toutes ses longues pattes noires,
il court, il court jusqu'à ce qu'il trouve
l'entrée du pays des morts. Un dernier
aboiement et il disparaît dans la Terre.

46

Hercule se redresse. Il a appris à dominer sa violence. Lui aussi, il est libre !

HATIER
POCHe

POUR DÉCOUVRIR :

> **des fiches pédagogiques** élaborées par les
enseignants qui ont testé les livres dans leur classe,
> **des jeux** pour les malins et les curieux,
> **les vidéos** des auteurs qui racontent leur histoire,

rendez-vous sur

www.hatierpoche.com